KB171576

심심(心深)

(기쁜 마음이 깊어)

심 심 (心深)

발　행 | 2024년 05월 03일
저　자 | 서어진
펴낸이 | 한건희
펴낸곳 | 주식회사 부크크
출판사등록 | 2014.07.15.(제2014-16호)
주　소 | 서울특별시 금천구 가산디지털1로 119 SK트윈타워 A동 305호
전　화 | 1670-8316
이메일 | info@bookk.co.kr

ISBN | 979-11-410-8359-5

www.bookk.co.kr
ⓒ 서어진 2024
본 책은 저작자의 지적 재산으로서 무단 전재와 복제를 금합니다.

심
심

서어진 지음

\<목차\>

<목차>

\<목차\>

<목차>

\<목차\>

\<목차\>

이 책을 사랑하는 우리 가족들
그리고 항상 많은 도움을 주시고
응원해 주시는 여러분들에게

기쁘고 깊은 마음을 담아 드립니다.

2024년 04월 30일
작가 서어진 드림

Thanks to

호대현님, 이범희님, 지혜성님, 김도경님, 박진혁님
신상원님, 염동엽님, 이건준님, 이홍구님, 신화섭님
강전완님, 권정현님, 장준용님, 김준선님, 김창용님
오현경님, 권이중님, 김장우님, 반봉수님, 황윤성님
황병준님, 정다임님

<덕희>
이수현님, 진민주님, 김병섭님, 박희진님, 노귀현님
권희랑님, 최윤주님, 남윤지님, 김희정님, 배미애님
김 현님, 배혜슬님, 김민수님

<InSomnia>
황수민님, 박종민님, 한석환님, 정은지님, 이우정님

<인터넷소설연합>
도르코스님 / 이민우님
크로노츠바사님 / 김영재님

Thanks to

<조아라>
723님, 씽씽님, 뤼미에르mptw님, 0504lee님, 못생긴시님
세하seha님, 꼬꼬밥님, slacker001님, yops8574님,
조애나님, 제아방람님, 좋아하는 이야기님, 밤일님,
안녕친구야님, 완성을향해님, 역사에역사에님, 99의마수님,
디프테리아님, 유희섬님, 이바니바니님, 잘우는새님,
마안트님, 12121053님, 새로임님, 나오5276님,
소설조이님, 아아인님, 산묘님, lancet106님

<원고 검수>
박희진님

<디자인 제작>
강혜윤님

Special thanks to

가족들, 정희쌤, 영애쌤, 아라쌤,

세모덕님, Dreamcatcher

문학고을, 열린동해문학

경쾌

그저 즐겁게
그저 가파르게
그저 경쾌하게
아무 생각 없이, 막힘이 없이

그저 빠르게
그저 후루룩
그저 멈출 수 없게
아무 이유도 없이, 방해도 없이

그렇게 경쾌하게
콧노래를 흥얼거리며
휘파람을 불며
써 내려가자

온통 의미를 찾는 것에서 벗어나
누가 의미를 묻거든

나도 잘 모르겠다고 하자
내가 아닌 네가 알 거라고 하자

강연

모든 작가는 글로 말한다.
청중들은 모두 독자일 뿐

모든 작가는 청중을 모아놓고
저마다의 강연을 한다.
의도했느냐 하지 않았느냐의 차이일 뿐

또 하나의 강연자로
때로는 또 하나의 청중으로
번갈아가며 강연대에 서서

끄적 기록하며
오늘도 서로 잘 배워갈 뿐

그저 글을 쓰고 읽으며
오늘도 좋은 강연을 하고 들을 뿐이다.

거름

모든 나쁜 것들과
모두 싫은 것들과
어떤 불편한 것을

내 발아래 묻어 섞는다.
내 발아래 썩게 놔둔다.

모든 더러운 것들과
모두 혐오스러운 것들과
어떤 보기 싫은 것들을

내 발아래 묻어놓고
그 위에 올라서서
그 위에 단단히 뿌리를 내리고

모든 것들을
모두 빨아들이고
어떤 것이든 양분으로 만들어

거르고 걸러
다 나의 것으로 만든다.

모든 좋은 것들로
모두 필요한 것들로
어떠한 흔적조차 남기지 않도록

수정액

티가 날지라도 없는 것으로 만들고 싶어
없는 것으로 하기 위해
열심히 칠한다.

수정한 흔적은 남더라도
무엇이 적혀있었는지는 모르게

설령 알게 된다고 하여도
노력이 가상하여 눈을 감아줄 만큼

그렇게 열심히 칠한다.
그렇게 티가 나게 지워 없앤다.

서커스

아슬아슬하게 오늘도 공중에서 산다.
자칫하여 실수하면 추락뿐
추락 후 비난할 사람은 있으나
애도할 사람은 남아있지 않다.

아슬아슬하게 오늘도 정상인으로 산다.
자칫하여 티가 나면 낙오뿐
낙오 후 그럴 줄 알았다는 사람은 있으나
그럴 줄은 몰랐다는 사람은 남아있지 않다.

짧은 무대와 그 짧은 사회생활에서
자칫 실수하지 않도록 주의하며

오늘도 서커스를 한다.
오늘도 모두들 공중에서 살아간다.

발굴

내 앞의 이 타자기에서
내 앞의 이 연필들에서
내 앞의 이 종이들에서
숨겨진 글을 발굴해낸다.

어쩌면 원래 이 글이 아닐지라도
어쩌면 약간의 왜곡이 들어갈지라도

내 앞에 숨어있는
내 앞에 이것들을 깨고 캐고 뒤집어서
숨은 글들을 발굴해낸다.

어쩌면 다소 깨져 쓸 수 없을지라도
어쩌면 판단이 틀려 글이 없을지라도

어쩌면
예상치 못한 보석이 있을지 모르니까

날짜의 집

늘 달려가기만 하므로
집이 없을 줄 알았다.

늘 나아가기만 하므로
돌아오지 않을 줄 알았다.

그러던 어느 날
개구리가 깨고
꽃이 피고
잎이 나고
열매가 맺고
다시 겨울이 오더니

그리고 어느 날
다시 개구리가 깨고
다시 꽃이 피고
다시 잎이 나고
다시 열매가 맺고
겨울이 오는 걸 보며

너는 그저 크게 한 바퀴를 돌아
집으로 돌아왔음을 알았다.

너는 그저 멀게 한 번을 돌아
항상 다시 돌아옴을 알았다.

블록

여러 가지 조각들을
잘게 잘게 포개어놓고

쌓인 조각들을
단단히 고정시키고

모자라면 더 가져다가 쌓고
넘쳐나면 덜면 그만이다.

질리면 부숴버리고
흥미가 생기면 더 크게 만들어도 된다.

항상 자유롭게
상상했던 그대로
혹은 손이 가는 그대로

차곡차곡 하나씩 이어나가
큰 작품으로 만들어나간다.
언제든 변할 수 있는
그런 작품으로 만들어나간다.

꽃샘추위

너무 용기 있게 피어난 한 송이었다.
너무 일찍 피어버린 하나였다.

나 홀로 용감하게 선두에 서서
아무도 없이 혼자 당당하게 서서는

본인이 최초의 꽃이 되어
보란 듯이 버티고 서서 추위를 부른다.

뒤에 피어날 꽃들을 위해
먼저 태어난 꽃이
본인이 최초로 지는 꽃이 되어

용기 있게 피어난 꽃이 되었다.
의도하여 일찍 피어난 꽃이었다.

꽃셈추위

너무 질투가 나버린 추위였다.
너무 미련이 남아버린 추위였다.

마지막으로 지나가는 겨울 위에 서서
아무도 없이 혼자 마지막을 지키고서

본인이 최후의 추위가 되어
보란 듯이 피어난 꽃을 바라본다.

다시 돌아올 추위를 위해
마지막에 흩어질 추위가
본인이 마지막으로 겨울의 흔적을 남기기 위해
피어나는 꽃을 세어보며
피어나는 족족 떨어트려버렸다.

마지막 미련을 담아보는 추위였다.
아직은 막을 수 있었지만
올해 다시는 막을 수 없는 꽃의 수였다.

유성우

하늘이 밤새 흐느끼며 떨어진다.
그 눈물을 내 눈으로 보았으니
서둘러 그 장소로 가서
눈물을 주어 모아야겠다.

별이 떨어진 그 자리에 앉아
움푹 파인 웅덩이에 허리를 숙이고
하늘의 눈물을 닦으며
슬픔을 끌어모아야겠다.

밤새 토닥이며 그 자리에 앉아
하늘의 눈물을
그저

바라만 보고 있어야겠다.

열대야

오늘
사람들이 열심히 살았나 보다

그 열기
밤까지 식지 않은 걸 보니

버려짐

드디어 새것이 오고 말았다.
쓸지 말지 아까워 못 버리고 있던
옛것들이 버려진다.

제각각의 이유로 새것이 되어
여러 가지 방식으로 사용되다가
결국 끝끝내 버려지지는 못하고
어딘가 한구석에 자리를 지키던

그 옛것들이
드디어 벗어나고야 말았다.

새것들에게 아무런 말도 하지 않고
마치 본인들은 처음부터 옛날 것이었던 처럼

그렇게 고개를 숙이고
먼지를 뒤집어쓴 채로

몸들을 서로 기대며
드디어 버려지고야 말았다.

그렇게 새것이 오고야 말았다.

미조

날아가다가 지쳐버렸나
불시착이었나

있어본 적이 없는 곳에
홀로 착륙해 두리번거린다.

어떻게든 적응해서 살 생각은 하지 않고서
어떻게든 원래 자리로 돌아가기 위해
밤을 새워서 날고
하염없이 살피기만 하던

그새
그러다가 어느새

그새 또 어딘가로 사라졌는가
그 새는 또 어딘가로 날아갔는가
그 새는 결국 본인의 고향을 찾았는가
그새 또 잃어버리지는 않았는가

갯벌

물에서 태어나서 그런가
물이 보고 싶었다
푸른 바다가 가고 싶었다
부르는 파도 소리가 듣고 싶었다.

그래서 물을 향해 갔다.
푸른 바다가 보고 싶었으나
결국 보인 것은 어두운 진흙
부르는 건 갯벌뿐이었다.

갯벌에서 파도를 상상하며 걷던 그때
눈앞의 게 한 마리
궁금했는지 눈만 쏙 내놓고 보다가
무서웠는지 다시 쏙 하고 들어가 버렸다.

그 순간 나는 흙에서 태어났음을 알았다.
나는 흙에서 자랐고
흙을 밟고 산다는 것을 알았다.
갯벌의 흙을 뒤덮으며 물이 차오르던 그때

바다 앞의 나 한 마리
궁금했는지 목만 쏙 빼놓고 보다가
무서웠는지 다시 쏙 하고 도망쳐버렸다.

빨판

익숙함에 지고 말았다.
이제 새로운 것은 힘들다.

새로웠던 것들은 모두
이제는 익숙해져 버렸지만

그럼에도 불구하고
이제 새로운 것은 어렵다.

모든 것들에 적응해
그저 편안함만을 느끼고서
지루함을 느껴도 나아가지 못하니

이곳
익숙함에 찰싹 달라붙어서

점점
강하게 붙어 버틸 뿐이다.

이제 빨판을 지닌 내가 아닌
내가 하나의 거대한 빨판이 되어

익숙한 곳에 붙어있는 게
목적이 됐을 뿐이다.
많은 것을 바라지 못해
많을 것을 바라지 않을 뿐이다.

불면 편지

잠이 들지 않아 편지를 쓴다.
잠이 오지 않는 김에 글을 끄적인다.

늘 지나가던 하루의 반을
이번 기회를 통해 남아서 즐기며

잠이 오지 않음을 감사해
여러 가지 글들을 끄적인다.

불면으로 이루어진
어둠 속의 하루의 반이
볼펜으로 이루어진
어둠 속의 편지들이 되어

날이 밝고
늘 그렇듯 하루의 시작이 되어서야
불면 편지가 되어

너와 나 우리에게로 배달된다.
너와 나 우리에게로 도착한다.

강추위

모진 추위에
모든 주위가 언다.

모두가 춥기에
모두가 죽을 것을 안다.

서로가 서로를 끌어안고
서로의 36도를 나누면서
서리 바람을 등으로 맞고
서서히 밖에서부터 얼어가면서

모두가 있기에
모두가 함께 할 것을 안다.

모든 주위가 얼어도
모진 추위가 다가와도

서로가 서로를 위해
서로가 서로를 나누면서
평균의 원리로 죽지 않을 것을 안다.

불조차 얼어버린 강추위에도
모든 것이 얼어버린 강추위라도
모두가 얼어버리지는 않을 것을 안다.

침대

힘든 하루 지쳤기에
누워서 스르륵
녹아가네

아무것도 하기가 싫다면
그것은 정상인가

기다려라
너는 지친 것이 분명하니

그저 누워있으라
누가 너를 깨울 때까지

그것은 정상이니
아무것도 하기가 싫다면

녹아라
지친 상태로 누워
힘든 하루를 흘려보내라

돈아

내가 낳은 것들이
내가 보살핀 것들이
결국 태어나 꼬물거린다.

내가 만들어낸 돈아들의
에덴동산에
내 스스로 뱀이 되어
선악과를 들어 먹이고서는

내가 낳은 것들에게
내가 보살핀 것들에게
결국 비난과 무시를 당하고서

나를 떠나버린 돌아오지 못할
그들의 뒤통수를 바라보며
나 많은 사랑을 주리라
부족한 내가 낳은 부족한 자식들에게
나 많은 보살핌을 주리라

그렇기에
남들에게는 돈아라고 소개하리라

신발 목소리

누가 오는지 발자국 만으로 알아본다.

경쾌한 발걸음은
동생의 목소리

또각이는 발걸음은
누나의 목소리

질질 끄는 발걸음은
형의 목소리

터벅거리는 발걸음은
아빠의 목소리

저 멀리 아파트 복도에서부터
그들의 신발로
제각각의 목소리를 내면서
기다릴 가족들을 불러낸다.

온 복도를 자기소개하며
걸어가다가 우뚝 멈춰 서서는
이윽고 문을 열고
신발이 아닌 본인들의 목소리로

다녀왔다고 말한다.
수고했다는 답변을 듣는다.

수정

하루 종일 날아다니며
여러 사람들을 찾아다니며

몸 비비고,
쓰다듬으며,
이어준다

누군가의 자랑도
누군가의 푸념도
누군가의 즐거움도
누군가의 슬픔도

모두 들어 올려
내 뒤꽁무니에 붙여놓고서
열심히 날아다니며

그저 같이 웃고
그저 같이 울고
그저 같이 사랑하고
그저 같이 축하하며

사람과 사람 사이를
수정시킬 뿐이다.

예쁘게 핀 꽃의 이유를
충족시킬 뿐이다.

꽃

계절이 너로 인해 활짝 열린다.
너로 인해 얼음이 녹고
너로 인해 해가 더워지고
너로 인해 웃음이 피고
너로 인해 밖으로 나간다.

계절은 너로 인해 활짝 열리고
또 너로 인해 시작됨을 알고
또 너로 인해 개구리가 깨고
또 너로 인해 준비를 하고
또 너로 인해 추억이 쌓인다.

이 많은 것들이 다 너의 공이다.
비록 너는 짧게 등장해
시작을 알리고 나서
바로 봄비와 함께 쓸려나갈 것이지만

아무도 원망하지 않을 것이다.
그렇기에 지금 짧은 너를 보며
모두가 아름답고 포근한
동화 같은 꿈을 꾸게 되는 것이다.

번데기

끝나가는 겨울을 힘차게 나기 위해
꽃은 봉오리를 만들고 온통 웅크리고 버틴다

봄이 되어 따뜻한 꽃이 될 때까지
단단한 그곳에서
여러 가지 어려움을 이겨 살아남는다.

때가 되어 등을 찢고
실낱같은 젖은 몸을 열심히 말리고 나서야

비로소 예전의 내 모습이었던
번데기의 갈라진 시체를 뒤로한 채
한 마리의 나비가 되어

훨훨 날아갈 것이다.
여태까지의 고생을
단 한 번의 날갯짓으로 날릴 것이다.

액체

나는 액체로 된 사람이다.
이는 말 그대로이다.
다만 인간의 몸의 다수가 물로 이루어졌다
그런 말은 아니다.

무엇이 됐든
담긴 그릇의 모양으로
그리고 나에게 더해진 무언가의 색깔로

무엇이 됐든
그것에 몸을 맞추고 변형하여
어떠한 저항과 어려움도 없이
고요하게 출렁이기에

그렇기에
나는 액체로 된 사람이다.
이는 말 그대로이다.

불

긴 혀를 날름거리며 스르르 미끄러져 다가온다.
우리에게 진실을 알려주려고
우리에게 수치심을 알려주려고

붉은 몸을 꼬면서 기어 와
붉은 알약 손에 들고
긴 혀를 날름거린다.

그 긴 몸에 우리의 몸을 맡기고
진실의 선악과를 먹고 나서
수치심에 하얗게 불타버릴지라도

붉은 그것의 유혹을 참지 못하고
우리는 그 불을 스스로 질러가며
스스로 진실을 찾길 원한다.
스스로 진실에 다가가길 바란다.

항해

파도와 바람에 벅차더라도
이미 한가운데로 나왔으니 방법이 없다.

다시 돌아갈 수도 없고
아직 목적지는 멀었으니
그저 희망을 손에 꼭 쥐고 놓지 않으며
버티고 기도하고 살아남는 방법뿐이다.

배가 망가지고 병이 돌아도
이미 한가운데에 있으니 방법이 없다.

포기하기에는 멀리 왔고
성과를 이루기에는 너무 적게 왔으니
그저 끈기와 오기를 손에 꼭 쥐고 놓지 않으며
조금씩이라도 나아가는 방법뿐이다.

최대한 노력했다는 증거를 남기기 위해
최대한 잘 했다는 명분을 남기기 위해

다치고 아프고 망가지고
파도와 바람이 덮쳐도
항해를 시작한 이상 방법이 없다.
오직 끝까지 항해를 이어갈 방법뿐이다.

배수진

나 지금 이 절벽에 결사로 서서
굳은 의지를 가지고 적을 향해 보고 서니

문득 두려움이 엄습해도
어차피 죽을 운명이라면
적에게 등을 보일 바에야 절벽을 등지고 서니

여러 곳에서 들려오는 위로와 걱정들이
나의 두려움을 흘러넘치게 해
나의 애를 끊나니

귀향

남들이 서둘러 나가는 길을
기어이 비집고 들어간다.

태어난 곳으로
죽으러 가고 만다.

한 마리의 여우가 그렇듯
한 마리의 연어가 그렇듯

아무도 시키지 않았고
심지어 모두가 말려도

내 옷은 금의가 아니고
내 발걸음은 가볍지 않아도

굳이 기를 쓰고 들어가서
결국 하나의 자리를 깔고 앉아서

태어난 곳으로
다시 태어나러 간다.
다시 태어나려고 한다.

무늬

아무것도 아닌 것이
계속 보다가 보면
무언가로 끊임없이 변한다.

하나의 추상화부터
한 마리의 동물
한 점의 풍경화
한 그루의 나무와
한 명의 초상화까지

아무것도 아닌 것이다.
무언가를 끊임없이 보여주는
어떠한 불특정한 무늬들이

이것이 나를 이겼다.
나의 고뇌로 쓰인
나의 시를 이겼다.

활

하늘에 활시위 하나
덜렁 걸려있다.

밤에 잠복해서
낮에 뜨는 해를 쏘기 위함인가

아니면

밤에 떠올라서
밤에 자는 해를 쏘기 위함인가

하늘에 덜렁 걸려있는
팽팽한 활시위 하나

어쩌면 그 활에는 큐피드처럼
귀여운 화살이 걸려있을지도 모른다.

어쩌면 그 활에는 편지처럼
좋은 소식이 걸려있을지도 모른다.

언젠가 그 활에서 화살이 나올 때까지
정답은 알지 못한다.
어떠한 결과가 나올지는
저 초승달과 그믐달만이 알고 있을 것이다.

빨대

둥근달이 떠 하늘에 구멍을 뚫었나
그 둥근 창으로 무엇을 보나

누군가가 얼마가 궁금했으면
밤에 겨우 몰래 구멍을 뚫고 지켜보나

그래서 모두들 불을 켜고
무언가를 하면서
심지어 누군가는 이제 일상을 시작하며
궁금증을 채워주려고 하나보다.

그래서 한참 그렇게 동이 틀 때까지 지켜보다
궁금증이 채워져서
여러 날 동안은 나타나지 않나 보다.

사진

이 순간이 마지막일 테니
나는 이 순간이 두렵다.

미련만 가득 남은 나는
무릎을 꿇고
바짓가랑이를 잡다가

이윽고 너를 겨우 놔주고
뒤로 돌아
너를 사진으로 남긴다.

이 순간은 지나가서
어쩌면 소설이 될지
어쩌면 영화가 될지
어쩌면 음악이 될지
어쩌면 아무 의미가 없을지라도

언젠가 어느 순간만큼은
너로 소설이 되고
너로 영화가 되며
너로 음악이 되고
너로 모든 의미가 될 것이니

항상 돌아서서 나는
너의 사진을 찍는다.

마지막이 되는 지금 순간순간을
두려워하며 남긴다.

느림보

느림보에게 늘 하루는 길다.

더 많은 시간을 보내며
더 오래 삶을 살아간다.

느림보에게 늘 하루는 길다.

더 많은 순간을 보며
더 오래 풍경을 보며 살아간다.

주어진 같은 시간을
남들과 달리 길게 살아가니

어쩌면 느림보가 더 빠를지도 모르겠다.
결과적으로는 토끼를 이기는
거북이가 될지도 모르겠다.

운반자

저 멀리서 온 빛을
너희들에게 전한다.

저 먼 과거에서 흘러온 빛을
너희에게 전한다.

저 소중한 불빛을
오직 너에게만 전한다.

과거의 있었던 빛들을
지금의 화려한 야경과 비교하면
비록 초라할지라도

지금의 밝은 전등들과 비교하면
비록 어두울지라도

소중한 빛이었기에
과거의 깜빡거림이었기에
지금 이 순간에 너에게만 전한다.

기록자

너희들이 켜둔 빛을
저 멀리로 전한다.

너희가 만든 그 빛을
저 멀리로 흘린다.

너만 가지고 있던 불빛을
온전히 내가 품는다.

지금의 화려한 야경도
비록 미래에는 더 큰 빛과 비교해서
비록 초라해질지라도

지금의 밝은 전등들이
비록 나중에는 쓰이지 않을지라도

소중한 빛이었기에
지금 이 순간에만 있는 빛이었기에

나 너에게서 그 불을 받아
멀리로 떠난다.

나 너희에게서 그 불을 지켜
나중으로 떠난다.

그래프

항상 좋지는 않는다.
그러나 그러기를 바란다.

구불거리는 선을 따라
오르락내리락을 반복하며

성공했다고 좋아서
손뼉을 치며 웃다가

실패했다고
실패가 아니라고
애써 눈물을 참다가

구불거리는 선을 따라
내리락오르락을 반복하며

나란 사람의 그래프를 그린다.
지금도 앞으로도 새겨질
하나의 추세선을 남긴다.

나눔

오로지 기쁨만을 나눕니다.
그것만을 밖으로 나눠줍니다.

모든 슬픔은 가집니다.
그것만을 밖에서 가져옵니다.

온통 슬픔만을 챙겨
항상 슬픔만 가지고 살다가

그대 따뜻한 웃음과
그대 따뜻한 표정으로

온통 슬픔만 가득하던 것을
가득한 기쁨으로 한순간에 바꾸고 나서

오로지 기쁨만을 나눕니다.
그것만 가지고 있기에

오로지 기쁨만을 드립니다.

의지

암막 커튼 사이
그 찰나의 틈

그 찰나의 틈 사이
뻗어나가는 손

손으로 모든 방을
더듬거리면서

더듬이다가 결국
나에게까지 닿은

닿고 나서 아침이 된 것을
비로소 알게 되는

아침과 해의 끈기에
나와 잠이 지고 말아
커튼을 활짝 걷는다.

나그네의 꽁꽁 싸맨 옷을
햇빛의 의지가 이겼다.

목어

나무로 만들어졌으나
생명은 있다.

물을 먹어 자랐으니
몸 안에 물을 머금고서

마침내 하나의 물고기가 되어
생명이 있다.

그것을 알리고자
입을 쩍 벌리고서 소리치는

한 마리의 목어에는
분명 생명이 있다.

단상

나이를 먹어가며 올라간다.
점점 높게 올라가기만 한다.
이제는 떨어지면 아프다.
이제는 아래를 보면 겁난다.

이전
낮은 단상에서
뛰어내리고
뛰어오르던 적은

이젠
아득하기만 하고

나이를 먹어가며 올라간
이 단상 위에 억지로 올라
위태로운 계단을 하나씩 쌓아가며

어제
떨어진 사람이
내가 아니길 빈다.
떨어지고 올라올 힘이
더 이상은 없으니

이젠
추락하는 사람이
내가 아니길 빈다.

해먹

감긴 채
바람 따라 흔들리기만 한다

바람이 되고 싶다

흔적도 남지 않지만
존재감은 있도록

자유롭게 날아다니지만
어느 한 군데에서 한 번쯤은 머물도록

그토록 원하던 바람은
돌아다니던 곳에서는 결코 찾지 못하고

이곳
해먹에 고정을 시키고 나서야

이제야 너를 느낀다

주름

온통 나이테를 두르고
주름진 얼굴로 환히 웃는다.

웃었던 나이테도 주름이 되어 남고
화냈던 나이테도 주름이 되어 남고
슬펐던 나이테도 주름이 되어 남고
사랑했던 나이테도 주름이 되어 남아

온통 나이테를 두르고서
숨길 수 없는 고백을 한다.

살아온 흔적들을
해마다 얼굴에 새겨

말을 하지 않아도
모두가 보면 바로 셀 수 있는
나이테를 그린다.

거울

또 다른 내가 나를 보며 묻는다.
그렇게 나와 내가 대화를 한다.

나에 대해서 말하라 하기에
입을 다물었다.

너에 대해서 말하라 하기에
입을 연실 떠들었다.

나는 너를 닮고 싶었다.
그래서 네가 되었다.

그저 비추기만 하는
거울 상이 되었다.

이어폰

남들의 소리를
나만의 소리로 막는다.

내가 고른 소리 이외의
다른 소리는 들리지 않는다.

남들의 소리를 모두 막고
나만의 소리로 모두 채우고서

사람들 속에서
모두가 다 그렇듯

나도 따라서
사람들을 다 차단한다.

건전지

이 안에 모든 것이 갇혔다.

움직이게도 하고
멈추게도 하고
열기도 하고
잠그기도 하는
마치 마법과도 같은 무언가가

이 작은 것 안에 모두 갇혔다.

'이 작은 세상 속에 무엇이 들었는지'
'이 작은 공간 안에 어떤 가능성이 있는지'
'이것이 무엇을 할 수 있는지'
라는 질문에 대부분이라고 답을 하면서

이 마법 같은 것에 종속되어
우리는 이 작은 것에
역으로 모두 갇혔다.

거인

차마 상상하지 못할 정도로
차마 우러러보지 못할 크기로
차마 믿지 못할 존재로

그렇게 태어나
그렇게 자라나
그렇게 살아간다.

존재의 유무를 떠나
크기의 중요성을 떠나
상상 가능의 여부를 떠나

그렇게 커져만 갔기에
그렇게 높아져만 갔기에
그렇게 크나큰 하나의 거인이 되어

발걸음 한 걸음을 조심히
눈길 한 번을 조심히
말 한마디를 조심히 하는

거인이 되어버렸다.
거인이 되고야 말았다.

챔질

조심히 다가가서
급하게 낚아챈다.

조용히 하지 못하면
빈손으로 오고야 만다.

서두르면 오히려
놓치고야 만다.

늦장 부리면 오히려
뺏기고야 만다.

조심히 다가가서
급하게 낚아챈다.

눈치채지도 못할
그 순간의 찰나를 노려

급하게 걷어올려
결국 잡고야 만다.

i

아주 간단한 것이다.
동그란 머리를 치켜들고
몸을 똑바로 서서

아주 간단한 것이다.
단 하나만 적으면 된다.
다른 것도 필요 없이

나
딱 하나면 된다.

하루의 맛과 다름

단 한순간도
그대로인 것이 없다
길거리도
나의 집도
나의 방도
심지어 나조차도
과거와 지금이 다르다.

어떤 하루는 짜고
어떤 하루는 달고
어떤 하루는 맵고
어떤 하루는 싱거웠다.

매일매일
항상 꾸준하게
다른 하루의 맛을 느끼며
다른 내가 되어

오늘 하루도 무궁화와 같이
한 번 죽고 나서
한 번 살아나서

그대로인 것이 없는 세상에서 산다.
단 한순간도 같지 않은 하루에서 산다.

레진

그 안에서 굳어간다.
그 안에서 영원히 산다.

어떠한 공기도 없고
어떠한 세균도 없고
어떠한 소리도 없고
어떠한 생명도 없고
어떠한 자아도 없이

그 안에서 영원히 산다.

그 안에서
평생을 그 모습으로

그 순간
딱 한순간에서 더는 움직이지 못하고

굳어져 산다.

영웅

'꽃부리 영'자를 쓴다.

생명이 태어나기 위해
꼭 필요한 꽃이다.

생명이 태어나기 위해
꼭 필요한 인물이다.

꽃의 수술과 암술을 보호하고
온갖 곤충을 불러 모은다.

무언가를 보호하고
온갖 이들을 불러 모으는
꼭 필요한 인물이다.

'꽃부리 영'자를 쓴다.
예쁘고 화려한 꽃은 아니다.

그래서 영웅이라고 불린다.
그래서 꽃부리라고 불린다.

물고기 눈

하루 종일 눈을 뜨고
온종일 모든 것을 본다.

한순간도 눈을 닫지 않고
뜬눈으로 모두를 본다.

낮에도 밤에도
쉬지 않는 그 눈으로

모든 것을 보고
모두를 보았으니

세상에서 가장 많은 것이 담긴 눈이다.
세상에서 가장 많은 것들이 잠긴 눈이다.

탱탱볼

너는 튀어 다니는 게 일이고
나는 잡는 게 일이다.

너는 도망 다니느라 바쁘고
나는 찾느라고 바쁘다.

똑바로 날아오다가도
급하게 휘기도 하고

발아래 떨어지다가도
튀어서 높이 사라져버리는

나는 너를 두 손으로 가두는 게 일이고
너는 그런 나를 벗어나는 게 일이다.

언젠가
바람이 빠지고
구멍이 뚫려
더 도망가지 못하는 날이 온다면

나는 부모가 되어 너를 고치는 게 일이고
너는 자식이 되어 다시 벗어나는 게 일이다.

이 페이지를 채우고 다음 페이지로

제목

시작

중간

끝

후기

낭독
혹은
독서

평가

댓글
혹은
피드백

다음 페이지로

홀로

높고 긴 장벽의 안인지 밖인지는 모른다만
남들과 다른 곳에 나누어져 있다는 건 알겠다.

홀로 나 이곳에 가두어져서
혹은 나 이곳에 풀어져서는

벽 너머의 인기척을 따라
비슷한 소리를 내본다.

높고 긴 장벽의 위로 오가는
온갖 소리들로 장벽을 넘어

장벽의 안인지 밖인지는 모르겠지만
누구인지 얼굴도 성격도 모르겠지만

그렇게 남들과 같은 곳에 있다는 건 알겠다.
남들과 같이 있다는 것은 알겠다.

똬리

어디에 똬리를 틀었는지
나는 알지 못한다

어디에 의태하고 숨었는지
나는 찾지 못한다

너의 자리를 찾지 못해
강제로 너의 자리에 이름표를 그려 넣고서

너의 자리를 만들어
네가 잠시 외출했다고 믿는다.

알지 못하는 너를 찾을 수 없어
그냥 그렇게 믿고서
네가 이곳에 똬리를 틀고 앉을 것이라 믿는다.

폭식

무언가가 들어와
무언가를 먹는다.

더 이상 꿈도 꾸지 못하고
더 이상 꿈을 기억하지 못한다.

무언가가 무언가를 먹는데
무언가가 무엇을 먹는지는 알 수 없다.

더 이상 상상도 하지 못하고
더 이상 추리도 하지 못한다.

꿈이 없는 잠을 깊게 자고
상상이 없는 삶을 깊게 살고 난 후

내 무언가가 무언가를 다 먹었음을 알 즈음
그때 끝내려 한다.
그제야 노력을 멈추려 한다.

날씨 구름 많음

하늘이 흐려 감추기 좋은 날이다

심지어 우리가 우러러보는 해조차
몰래 모습을 감추어버렸다

심지어 우리가 맑다고 느끼는 하늘조차
몰래 모습을 감추어버렸다

너와 나의 치부도
오늘만큼을 구름으로 가리고

네 것과 내 것의 잘못도
오늘만큼은 흐린 날씨로 가리고

감추기 좋은 날에
우리 또한 감춰두자

바람이 불어 구름이 날려
해가 뜨기 전까지만이라도

우리는 그렇게 있자

창문

단단하고 갇힌 벽 틈을 비집고

유일하게 소통하는 곳
유일하게 밖을 보는 곳
유일하게 드러내는 곳

단단하고 막힌 벽 사이를 뚫고

그렇기에 항상 열심히 닦는 곳
그렇기에 항상 남에게 보이는 곳
그렇기에 항상 내가 보는 곳

그렇기에 유일한
얇고 약하지만

그렇기에 항상
안과 밖으로 새로움을 주는 곳

24

01. 또 무엇으로 일어나야 하나
02. 또 무엇을 입어야 하나
03. 또 무엇을 먹어야 하나
04. 또 무엇을 타야 하나
05. 또 무엇을 위해 움직여
06. 또 무엇을 얻어야 하나
07. 또 무엇을 더 해야 하나
08. 또 무엇을 낙으로 삼아
09. 또 무엇으로 버텨야 하나
10. 또 무엇을 봐야 하나
11. 또 무엇을 들어야 하나
12. 또 무엇과 사귀어야 하나
13. 또 무엇과 하루를 보내야 하나
14. 또 무엇을 버려야 하나
15. 또 무엇을 챙겨줘야 하나
16. 또 무엇을 키워야 하나
17. 또 무엇을 슬퍼해야 하나
18. 또 무엇으로 싸워야 하나
19. 또 무엇으로 화해해야 하나
20. 또 무엇을 덮고 자야 하나
21. 또 무엇을 해석해야 하나
22. 또 무엇으로 설명해야 하나
23. 또 무엇을 반복해야 하나
24. 또 무엇으로.

겁

그래서 난 너를 키운다

기댈 곳이 없어졌는데 오히려 편한 것은 왜일까
처음으로 등에 닿는 바람이 상쾌하기만 하다

가장 안전하고 든든했던 순간에
너를 품어 껴안고
가장 불안하고 위험했던 순간에서야
너를 벼려 놓고서

이윽고 결국 마지막에서야
난 너를 키웠다

처음으로 너를 버려
이 벼랑 끝에서 처음으로 경쾌함을 느꼈다

초대장

불특정 다수의 사람들을 정성을 다해 불러본다.
다수의 사람들을 극소수가 될 혼자서 불러본다.

어떠한 설명도 이유도 사유도 없이
그렇기에
어떠한 사람도 모든 존재도 올 수 있는

다수의 초대장을 다수에게 뿌려
초대한 사람이 드디어 다수가 되도록

불특정 다수의 사람들을 정성을 다해 모은다
다수의 사람들이 가고 소수가 될 혼자들이 모인다.

척박

척박하게나마 재미를 느낀다.
지루하게나마 흥미를 느낀다.

마르고 닳고 닳아
먼 사막과도 같은 곳에서
말라버린 땅에서 수분을 찾는다.
죽어버린 땅에서 생명을 찾는다.

척박하게나마 재미를 느낀다.
지루하게나마 흥미를 느낀다.

멀고 끝이 없어
마치 미로와도 같은 곳에서
멀리 있는 곳에서 희망을 찾는다.
미로의 안에서 탈출구를 찾는다.

이런저런 것들을
이리저리 돌려보면서

기어이 재미를 하나 느낀다.
결국에는 흥미를 하나 느낀다.

해석

네가 생각하는 답은
나에게 없다.
내가 생각하는 답 또한
나에게는 없다.

어디에도 없는 답을
굳이 해석하려고 하지 말고

어디에도 없는 답을
굳이 찾으려고 하지 말고

나에게도 없고
너에게도 없는
하나의 수수께끼로 남기자

영원히 풀리지 않지만
동시에 답이 없어
모두가 풀 수 있는
미지수의 난제로 남기자

전신주

하늘에 쳐 놓은 거미줄에
온통 하늘이 걸려들었다.

올려다본 하늘은
시커먼 거미줄에 걸려
한없이 푸르게 발버둥을 치고

주위를 둘러본 끝에는
빽빽한 거미줄에 걸려
한없이 빽빽하게 붙어있으니

우리가 쳐 놓은 거미줄에
온통 모든 것들이 달라붙었다.

온통 쳐 놓은 거미줄에
흐르는 전기를 제외하고
모든 것이 걸려들었다.

공란

아무것도 칠하지 않은 순백은
빛이라고 친다.
아무것도 건드리지 않았으니
밖이라고 친다.

아무도 칠하지 않았으니
낮이라고 치고
아무도 손대지 않았으니
눈밭이라고 친다.

온통 하얀색의 도화지에
빛과
밖과
낮과
눈밭이 모두 그려졌으니

순백의 공란을
하나의 풍경화라고 부른다.

하나의 공란을
모두의 풍경이라고 부른다.

석화

꽃이 안 피는 곳은 없다.
바위에도 꽃은 피고 진다.

빼곡하게 바위를 채워
하나의 봄철 벚꽃을
바다에서 피워낸 너를 보며
돌무더기에서 피워낸 너를 보며

우리는 바다에서 땅을 느끼고
돌에서 꽃을 느끼고
너에게서 봄을 느꼈으니

그래서 너를 석화라고 부른다.
따라서 너를 꽃으로 부른다.

신발 끈

풀어진 끈 다시 달리기 위해
꽉 조여놓고서 일어난다.

여전히 자신 없지만
전력을 다해 달려가도 거기 없지만

길이 없는 곳에서 길을 잃지 않도록
큰 눈을 부릅뜨고서

입술을 꽉 깨물고
실패를 향해, 달려간다.

바위만 있는 곳에서
하나의 계란이 되어 깨어지고 나서

신발 끈을 다시 묶고 일어서
그럼에도 우리는 뛰었다고 말한다.
어쨌든 우리는 무언가를 했다고 말한다.

솔방울

그 뾰족한 틈바구니에서
어떻게든 고사리 손으로 움켜쥐고서
계절을 버틴다.

어떻게든 버티고 버텨서
결국 떨어지고 나서

다시 뾰족한 틈바구니와
고사리 손을 만들어
다음 세기를 버틴다.

그 작은 고사리 손 하나로
누구보다 강한 푸르름을 만들어
어떻게든 버틴다.

하나의 크고 단단한
철갑의 소나무는
하나의 작고 작은
고사리 손에서 시작된다.

하나의 여리고 약한
그 손 하나로 살아남았다.

오늘은 시를 지어야겠다.

오늘은 시를 지어야지
오늘은 시를 지어야겠다.

특별한 이유는 없다.
특별한 목적도 없다.
특별한 시상도 없다.

내가 있는 이유다.
내가 있을 이유다.
내가 가진 정체성이다.

나를 유지하기 위해
나를 위해서 오늘은
나를 위한 시를 써야지

나를 위한 시를 써야겠다.
하나쯤은 이기적인 시를 만들어야겠다.

삭제

버튼 하나로 모든 것을 지정하고
버튼 하나로 모든 것을 지운다.

버튼 하나로 지운 것을 살리기도 하고
버튼 하나로 지운 그대로 저장하기도 한다.

한 번의 누름으로 실수하면 어쩌나

어쩌나
그러면 슬피 울어야지

어쩌나
그러면 슬피 오열해야지

스위치

너의 어둠을 빛으로 바꾼다.
너의 어두움을 햇살로 반전시킨다.

온통 어두운 방에 있는 너를
밖으로는 차마 끌어내지는 못하더라도

온통 밝은 빛을 선사하는 스위치가 되어
밖과 같은 햇살을 만들어줄 수는 있다.

네가 다시 나를 눌러
빛을 어둠으로, 햇살을 어두움으로 바꿀지라도

결국 하루의 한순간으로 지날지라도

그 한순간
너의 하루를 빛으로 채운다.

그 한순간
너의 어둠을 몰아 내쫓는다.

역

출발지이자 도착지기에
출발한 자와 도착한 자의 구분이 안 간다.

지친 저 모습은
고된 일을 끝나고 출발하는 자인가
여행을 마치고 도착한 자인가

설렌 저 모습은
여정을 마치고 아직 상기된 자인가
출발을 기대하며 두근거리는 자인가

모두의 구분이 섞여
출발과 도착의 경계가 희미하기에
홀로 이번 역에서 내려
유일하게 구분이 가능한
중간에 선 자가 되어보련다.

출발과 도착을 정하지 않은 중간에 선 자는
설렌 모습을 하는가
아니면
지친 모습을 하는가
아니면
둘 다의 모습을 하는가

호박벌

할 수 없다고 하나
할 수 있다고 믿기에

짧은 날개라도
크게 뻗고서
더욱 열심히 퍼덕거려
결국 이륙하고야 만다.

할 수 없다고 하나
할 수 있다고 믿기에

할 수 있다고 증명하여
할 수 있다고 말한다.

가로등

달이 아직 집에 가지 않았다.

밤길을 걷는
어느 나그네들과

밤길을 걷는
어느 아낙네들의

길을 전부 비춰주고서는

그제야
내려갈 준비를 한다.

그제야
집에 갈 준비를 한다.

조각 인형

몇 조각으로 나누어졌는지도 알 수가 없는
원래의 형체 그대로 부서져버린
먼지의 무덤 같은 형태로 놓여 있는
지난날을 되돌려보고 싶은
조각 조각난 인형이 놓여있다.

조각 조각난 인형이 있다.
지난날을 그대로 보여주는
복합적인 모습을 하고 있는
온통 그릇된 형체를 보여주는
몇 조각으로 나누어졌는지 셀 필요가 없는

그런 사람이 있다.
그런 사람의 형상이 있다.

의태

잘 숨었다.
잘 숨었다고 생각한다.

숨을 죽이고
가만히 움직이지 않고

포식자가 머리 위를 스치고 나서

천천히 움직이고
숨을 쉰다.

잘 숨었다.
오늘 운이 좋았다.

앵무새

나는 모르는 일이다.
저 사람이 말했다.

나는 저 사람이 말한 것을
들었기에
저 사람이 하는 말을 따라 할 뿐이다.

나는 모르는 일이다.
누가 시키지는 않았다.

그렇다면
그것은 내가 아는 일이다.
저 사람이 말했지만
내가 말하기도 했다.

점화

나무와 나무를 비벼
그들의 천척인 불이 올 때까지
하염없이 비비고 나서
결국 다가온 천적에게 먹힐 뿐이다.

뻔한 것은 싫었기에
모두가 피해 갈 것이라면
오히려 우리들이 스스로 불러들여
하염없이 타오르고 나서
결국 천적의 일부가 되어 평생 살아갈 뿐이다.

일부가 되어 모두에게 무서움이 되어
모두에게 두려움이 되어
결국 모두의 천적이 되어버릴 때까지

끝도 없이 비벼 타오른다.
끝도 없이 자신을 부르는 소리에
또다시 귀를 기울인다.

불이다.
불이 났다.

불이다.
우리가 지른 불이 왔다.

야경

온 사방에서 나를 둘러싸고
안광을 비추며 반짝거린다.

사람들은 그것을 예쁘다고 하는가?

나에게 있어서 그것들은 두려울 뿐이다.
나를 지켜보는 눈일 뿐이다.
나를 바라보는 부담일 뿐이다.

에필로그

무엇이든 마지막에는 명작이 된다.

그것이 졸작이든 평작이든 명작이든 간에
마지막의 그 모습에는 아쉬움이 깃든다.

그 아쉬움 추억으로 남아
시간이 지난
언젠가에는
무조건적인 명작이 된다.

생각으로 숙성시킨
맛 좋은 작품이 된다.

불순물

필요하다고 생각하여
필요한 것을 만들려고 했으나

결과적으로 마지막에 마지막에는
필요 없는 것이 생겼다.

하나의 필요에
하나의 불필요라는
정확한 등식에 의해
원하지 않았던 것이 생겨버렸다.

딱딱하게 굳어버린
단단한 불필요함을 보며

단단하게 막혀버린
딱딱한 불순물들을 모아

불순물 중 불순물을 가려보자
가장 최고의 불순물을 찾아
가장 최고의 명작 옆에 놓아

가장 최고의 대비를 만들자
있는 그대로의 역사를 그리자.

청동 거울

녹을 지울 수 없나
잊힐 수가 없나
잊을 수가 없나
남을 수밖에 없나
있을 수밖에 없나
보관이 될 수밖에 없나
과거를 비출 수밖에 없나

이제는 아무것도 비추지 못하는
이제는 평생 유리장 속에 머무는
이제는 계속 과거를 보여주는
이제는 거듭 남겨지기만 하는

청동거울의 푸르른 낯빛이
유리창 너머 희미하다.
공간을 넘어 흐리다.

커튼콜

앙코르를 외친다.
박수를 친다.
상기된 목소리로
나를 부른다.

커튼이 열린다.
조명이 켜진다.
사람들은 일어서서
나를 부른다.

인사를 한다.
그 외 어떤 것도 하지 않는다.
조명 속 얼굴을 상상하며
보이지 않는 눈과 마주쳐
너희들을 본다.

부름과 봄이 서로 만나
하나의 큰 소리를 낸다.
단체와 개인이 만나
단결된 큰 소리를 만든다.

그 순간
그저 내가 할 수 있는 것은
그냥 들어갈 뿐
그 뒤에 남겨질 박수와 함성은
다시 커튼이 걷히기 전까지는
하나의 여운으로 마지막까지 남아
나에게 앙코르를 외친다.

되감기

하루에 누워 하루를 본다.

지나간 하루가
눈앞을 지나간다.

하루의 시작부터
하루의 중간을 지나
희로애락을 거쳐
하루의 끝까지
다 되감고 나서

빈 공백의
녹음용 카세트테이프를 준비하고
다시 하루를 준비한다.

그리고 하루의 마지막 밤에서야
카세트테이프를 꺼내고
그러고 나서 그렇게

다시 하루에 누워
다시 하루를 본다.

복병

너는 어디에 있다가 튀어나와서
가장 무방비한 순간에
가장 무자비하게 찔러대는가

너는 어디에 있다가 뛰쳐나와서
가장 예상치 못한 순간에
가장 예상치 못한 방법으로 공격하는가

너는 어디에서
이렇게

너는 어디에 숨었다가
이렇게

나는 알지 못한다.
알고 있어도 당할 것이다.

그렇다면 차라리
모르는 편이 낫겠다.

먹

그저 검다.
검은 것을 가까이하지 말라 했으나
나는 그 먹 향이 좋으니
너를 가까이하겠다.
너와 가까이해서
하루 온종일 까만 칠을 해댔더니

이제는 내가 그저 검다.

허구

그냥 이렇게 하면 다들 좋아해 준다.
그냥 이렇게 하면 무언가 달라진다.
허구로 시작해
허구로 끝을 맺어
시작은 미약했지만
끝은 이상하리만큼 창대해진다.

비대해진 허구에
허구의 당사자마저 짓눌려버려
허구의 끝에서 그만
허무한 사람으로 남아버린다.

허구의 결말에서 그만
그 또한 허구가 되어버린다.

이 별과 이별을

이 별에서 이별 외에 할 것이 더 이상 없다.

어린 왕자와 함께
사막 한가운데에서
한가운데 떠있는 별을 보며
이 별을 떠나는 방법을
우리는 배워야 한다

하나하나를 떠나보내며
이 별에서 이별을 배워가
어느덧 완벽하게 이별을 배울 즈음

사막 한가운데
이 별 한가운데 뜬 저 작은 별을 보며
완벽한 이별을 하게 될 것이다
이 별에서 이별을
이별의 별에서 작별을....

고물 어선

한 마리의 고래가
뭍에서 가쁘게 숨을 쉰다.

페인트가 벗겨진 녹은
그동안 머금었던 소금기를 뱉는다.

넓은 바다를 헤엄치던 때를 기억하듯
파도가 치는 바다를 바라보면서

하나의 어선이 그렇게
길고 커다란 숨을 내쉰다.

사람들의 땀과 파도를 몸에 담은
하나의 고물 어선이

이제는 물이 아닌 뭍에 올라서서
천천히 대기 호흡을 준비한다.

아가미가 아닌 폐로
처음이자 마지막 숨을 쉬고서

천천히 바다가 아닌 뭍에서
가라앉아간다, 침몰해간다.

만월

둥근달이 떠서 세대를 비춘다.

제일 먼저 어두워지는 저녁은
우리들의 조상을

그다음으로 찾아오는 밤은
우리들의 부모를

그 이후로 밝아오는 새벽은
우리들을

마지막으로 늦어지는 아침은
우리들의 자식을

순서대로 세대를 비추고 나서
그것이 아침으로 사라진다.

그것은 어둠에서 몽우리 져
어느덧 아침에서야 피어난다.

색동

과일들이 색별로 상에 오르고
사람들은 모두 다 색을 입고서

다채로운 이야기로
다채로운 하루를 주고받는다.

모두가 색을 입은
색동 같은 하루를

그림으로 옮길 테냐
글로 옮길 테냐

아니면
아무것도 하지 않고
오로지 간직해 내년까지 가져갈 테냐

무음의 수다

하루 끝 어항 앞에 걸터앉아
물고기의 뻐끔거림을 보고 있다.

하루 종일 나 없이 뻐끔거렸을 녀석들은
내 눈앞에 다가와 무언가 말을 하고 있다.

알아들을 수 없고, 입모양도 해석할 능력이 없어
그들에 맞추어 나 또한 뻐끔거리고 나서

상상 속에서나마 한 마리의 물고기가 되어
어항 밖에서 잠수를 하고서는

서로 뻐끔거려본다.
서로 무음의 수다를 나눠본다.

사금

금색 햇빛을 오래 받아
모래는 기어이 금을 머금었다.

황금색 해를
황금색 금으로 온전히 받아내고서

누가 볼까 두려워
흔하디흔한 모래 속에 숨는다.

흔한 것들에 귀한 것이 숨어
서로가 서로를 품는다.

소리

누군가 소리를 낸다.
그냥 소음일지도 모른다.
어쩌면 듣고 싶었던 반가운
어떤 사람의 목소리일지도 모른다.
혹은 무명의 가수가 부르는
노래와 기타 연주일지도 모른다.

누군가 소리를 냈다.
그냥 무관심 속에 흘러 지날지도 모른다.
어쩌면 누군가에게 기억에 남을지도 모른다.
혹은 나의 착각이었을지도 모른다.

들리던 소리가 사라졌다.
그냥 시간이 흘러서일지도 모른다.
어쩌면 내가 귀를 막았는지도 모른다.

혹은
듣는 내가 입장을 바꿔
말하고 있는지도 모른다.

우수

근심과 걱정이 한가운데서 모였다.
근심이 걱정을 하고
걱정이 그에 반응해 근심한다.

한숨이 한숨을 부르고
불안이 불안을 덮고
공포가 공포를 피워낸다.

그렇게 우수에 빠진다.
근심과 걱정을 더해
한숨과 불안과 공포를 더해
흩어진 것들을 하나로 뭉친 채로

우수에 빠지고 만다.
여러 종류의 적들을
단 하나의 적으로 압축시켰으니

그거면 좋은 치료가 됐다.
일단 시작이 반이다.

침묵

할 말이 없다.
하고 싶은 말이 없다.
괜히 지어내고 꾸며내기는 싫다.

그래서 할 말이 없다고 했다.
하고 싶은 말이 없다고 했다.
그렇게 침묵을 지켰다.

확대

무슨 의도였는지
무슨 규모였는지
더 이상 알 바가 아닌지 오래다.

무슨 의도였는지는 내가
무슨 규모였는지는 너희들이 결정할 테니
더 이상 원래의 것들은 상관이 아닌지 오래다.

이젠 다수의 착각과 기대로
이제는 많은 이들의 시각과 생각으로
확대가 되어갈 테니
더 이상 내 것이 아닌지 오래다.

내가 뿌린 씨앗이
그렇게 돌고 돌아 나조차도 모르는 열매가 되어
그렇게 나에게 다시 돌아올 테니

나 또한 착각과 기대를 하며
기다릴 뿐이다.

나도 함께 확대됨을 구경하면서
새로운 시각과 생각을 배울 뿐이다.

숨

안에 들어있던 것을 꺼내어 뱉는다.
깊은숨을 내쉬며
길에 숨을 뻗는다.

어떠한 무게감과 어떠한 감정인지는
본인이 아니면 모르겠으나

그저 '한' 번의 '한' 숨으로
그것으로 날리면 다행이다.

태우다.

온기와 빛을 내며 타들어가
결국 매캐한 먼지만을 남기고
하늘로 올라가 사라졌다.

무엇보다 밝게 빛나더니
무엇보다 어두운 것들만 남기고
마침내 하늘로 올라가버렸다.
마침내 돌아가버렸다.

사유

1천 년 동안
1천 번의
1천 개의 사유를

계승하여

1백 년 살면서
1백 번의
1백 개의 사유를

추가하여

1십 년 만큼
1십 번의
1십 개의 사유만을

남겨

1번의
1개의 사유를

결국
최후에는 하나를

술래

하나가 남아
여럿을 잡아

또 하나를 잡아
또 하나가 남아

하나가 쫓아가고
여럿이 도망가고

또 하나가 남고
또 하나가 잡고

하나의 술래만
영원토록 서로만
돌고 도는 윤회에서

나도 너도 결국에
한 번쯤은 술래가 된다.

별똥별

늘 그랬듯 이뤄주지 않을 것은 알지만 그래도 소원을 빈다

이럴 때가 아니면 소원을 빌 기회조차 드물다는 것을 알아버렸기에

그러니 꿈을 꾸어보기로 했다
지금에라도 다시 꿈을 꾸기로 했다

표지판

가라는 표지판은 많았으나
원하는 곳을 가리키는 표지판이 없어

내 스스로 표지판을 박아놓고
내가 원하는 곳으로 가 기다렸다.

시간이 흘러 어느덧
그 표지판 또한 하나의 표지판이 되어

그 표지판을 보고
서서히 모여들기 시작했다.

지금 처음 세운 표지판의 끝에서
새로운 표지판을 다시 세워놓고

다시 표지판을 따라서 간다.
이번에는 다수와 함께 간다.

거짓말

속으로는 부정적이고
속으로는 썩어문드러지고
속으로는 죽어버렸다.

겉으로는 파릇파릇하게
겉으로는 단단하게
겉으로는 살아있었다.

겉에서부터 살아나는지
속으로부터 죽어가는지

겉은 속에게
속은 겉에게 거짓말을 하며

균형이 맞춰져 버틴다.
반쯤 죽어버렸으나
반쯤 살아있어 버틴다.

수영

살지 못하는 곳
숨도 쉬지 못하는 곳
우리가 벗어난 곳
우리가 사는 곳과 다른 곳

그럼에도
모두가 첨벙 거리고
모두가 웃으면서 뛰어들어

잠깐 머무는 곳
숨을 쉬지 못하게 안으로 파고들었다가
밖으로 나와 파도에 휩쓸리면서까지

우리가 찾아오는 곳
우리가 머무르는 곳
우리가 흐르는 곳

어쩌면 우리 내부의 핏줄처럼
어쩌면 우리 내부의 70%처럼

격상

나도 모르는 사이
무언가 계단을 디뎌

무언가가 격상되었다.
무언가가 달라져버렸다.

알지 못하는 사이
계단 위에 서서

영문도 모르게 격상 당했다.
티끌을 모아 나도 모르는 사이
태산까지는 아니어도
보이는 동산까지는 만들고야 말았다.

동산의 정상에서
다시 티끌을 모으며

언젠가 나도 모르는 사이에
주위 풍경이 낮아짐으로
또 한 번 격상 당할 것이다.
다시 한번 무언가를 찾아낼 것이다.

저울

치우치지 않으려고 했으나
결국 어쩔 수 없이
아주 근소한 차이라도 발견하여
결국 기울어져야만 하는 것이다.

기울어지지 않으려고 했으나
결국 기울어져야만 의미가 있을 운명이다.

양쪽에서의 눈치를
기를 쓰고 보고 나서 결국에는 기울어져

누군가의 미움을 받을 운명이다.
싫어도 결국 치우치기 위한 것이다.
결국 그럴 운명이다.

환시

무언가 아닌 것이 아른거린다.
무언가 없는 것이 아른거린다.

무언가 틀린 것이 보인다.
무언가 그른 것이 보인다.

그것이 이상하다는 것은 안다.
그것이 잘못됐다는 것도 안다.

그럼에도 불구하고
환시를 믿어
그럼에도 불구하고
목표로 삼는다.

없는 것을 향해
아무것도 아닌 것을 향해
틀리고 그릇된 것을 본다.

모두가 현실을 볼 때
홀로 이상을 본다.

쑥

버려진 벌판에 퍼져서
지세상을 만났다.

모두가 떠나간 곳에
모두가 떠난 것을 보고
모두가 떠났기에

이곳 버려진 벌판에 자라서
본인들의 세상을 세웠다.

아무도 없는 곳
그렇기에 보살피지 않는 곳을
그렇기에 가득 채워서는
본인들이 있는 곳으로

기어이
만들고야 말았다.

회상

옛날만을 생각하고
옛날만을 그리워하고
옛날만이 좋았고
옛날만이 희망차고

그 옛날을
그리워하여
그때만을 생각하고

옛날로 돌아가
옛날 일 그대로 이어져
옛날이 다시 또 옛날이 되어도

끝없이 회상할 뿐이다.
끝없이 옛날이 되어
끝없이 그리워할 뿐이다.

달맞이꽃

가장 높은 곳에 피어
달과 가장 가까이 있는 꽃이여

너 땅과 가장 먼 곳까지 기어올라
하늘에서 가장 낮은 곳이 되어

달에 닿을 듯 하늘을 찌르며
흐드러지게 피어났으니

진정한 달맞이꽃은
너인가 하노라

가교

신비한 기교로
거리와 상관없이 이어줄 것이다.

특출난 기술로
시간과 상관없이 이어줄 것이다.

어떠한 것도
선과 악도
노인과 어린이도
아군과 적군도
결국 신묘한 가교로 이어줄 것이다.

그것을 믿고
그런 사실을 믿고서

혹 누구와 멀어져도
혹 누구와 적이 되어도
혹 늙어서 어린이를 만나도

결국에는 원한다면
서로를 이어줄 것이다.
결국 언젠가는
모두를 이어줄 것이다.

이틀

하루의 초심은 지났지만
작심삼일의 삼일은 아직이다.

초심과 삼일의 중간에 서서
아직은 뜨거운 초심을 들고
천천히 식어가는 삼일을 들고

아직이라고 하면서
어떤 방식으로 향해갈까

계속 이어서 초심처럼 뜨거워도 좋지요.
계속 식어서 작심삼일이 되어 새로운 방식으로 향해도 좋지요.

여름 데리고 왔다.

추운 겨울

서로의 손을 꼭 잡은 채
서로를 포옥 껴안은 채
서로가 서로를 덮어주면서

여름
데리고 왔다.

직전

떨어지기 직전까지
뚫고 나가기 직전까지
미쳐버리기 직전까지

직진

꺾이기 직전까지
쓰러지지 직전까지
말라버리기 직전까지

직진

쉽지 않겠지만
그게 가능할 때까지
직전까지 직진을

안심

나 혼자 불안해했으니
나 혼자 해결해 안심하리

스스로 겁을 먹었으니
스스로 용기를 찾으리

그렇게 스스로가
혼자서 나를 위로하여

나 혼자 안심을 찾으리
스스로 용기를 찾으리

기둥

머리 위에 받치고
모두가 기대고
발아래 내리고

땅 아래 지하부터
모두가 사는 지상을 지나
머리 위로 우러러보는 옥상까지

그 모든 것이 가능하게 하며
그 모든 것을 지탱할 존재
그 모든 것에 기둥이 되어
그 모든 것을 위해 서리라

줄

하나씩 한 명씩 늘어 재료가 되어
하나의 줄이 되어서는
서로가 서로의 꼬리를 잡고
영원히 자라난다.

하나씩 또 하나씩
한 명씩 또 한 명씩 늘어서서
하나의 큰 뱀이 되어서는
서로가 서로의 입이 되어
영원히 먹혀간다.

하나의 긴 줄
꿈틀거리는 하나의 큰 생명은
자세히 보아야
그것이 여러 개의 작은 생명으로 이루어졌음을 안다.

그 여러 개의 작은 것들이
자세히 보아야
또 다른 작은 것들로 이루어졌음을 안다.

거듭되는 줄로써
우리는 여러 개의 작은 줄로 이루어졌음을 알며
동시에 또한
우리도 여러 개의 줄을 이루었음을 안다.

각이 진 물음표가 악의 없이 찌른다.

각이 진 물음표가 악의 없이 찌른다.

나는 이 질문을 받을 수 없다. 나는 이 물음표를 아프게 받을 수밖에 없다. 나는 이 질문에 대답을 피할 수 없다. 나는 이 물음표에 찔린 채로 답변을 할 수밖에 없다.

또 다른 물음표가 악의 없이 찌른다. 이번에는 각을 넘어 날이 서있다. 또다시 나는 이 물음표를 넘길 수 없다. 나는 이 물음표가 나를 찌르게 둘 수밖에 없다.

나는 혼란스럽기에 물음표를 받았다. 어쩌면 물음표를 받았기에 혼란스러울지도 모른다.

각이 진 물음표가 되어 악의 없이 찌른다. 누군가는 이 질문을 받을 수밖에 없다. 누군가는 이 질문에 대답을 피할 수 없다. 누군가는 나의 물음표에 찔릴 수밖에 없다.

악의가 없음을 안다. 따뜻함으로, 걱정으로, 사랑으로, 관심으로, 해결책으로 이루어졌음도 안다.

그래서 더 무서운 것이다. 저 물음표가 더 슬픈 것이다.

그렇기에 혼란스러울 수밖에 없다. 그럼에도 불구하고 이렇게라도 표현을 할 수밖에 없다.

적막

아무도 보지 않는다.
모두가 관심을 가지지 않는다.

혼자 남아있는 것들에
전부 시선을 주지 않는다.

오직 적막뿐이다.
오직 적막만이 사방에 남아
오직 적막만이 가득 차서

혼자 남아있는 것들을 계속
볼 것이다.
혼자 남아있는 것들에
관심을 줄 것이다.
혼자 남아있는 것들을 위해
시선을 보낼 것이다.

네발나비

가장 추운 날
가장 빨리 나와서
가장 서둘러 외투를 벗고서는

겨울에 홀로 남아 고고하게
겨울을 혼자서 난다.

강한 성충으로
강하게 버텨내고서는

자
날아볼 시간이야
아무도 없는 겨울에
먼저 봄을
살아볼 시간이야

흐드러지게

차가운 눈 꽃
봉오리로 내려

따뜻한 내 손
그 안에서 피어났다

온통 흐드러지게 피어
온종일 기억에 남았다
흐드러지게

물결

처음에는 보이지 않는 모습으로
모여 방울이 되어
모여 구름이 되어
모여 떨어져내려

시간이 지나고 나서는
차가운 개천이 되어
시원한 강물이 되어
커다란 바다가 되어

나중에는
하나의 바람이 되어
하나의 움직임이 되어
하나의 철썩임이 되어

이윽고 결국에는
커다란 파도가 되었다
거센 물결이 되었다

내일

내일은 내일로
내 일을 해야지

그동안 못했던
밀린 것들을 해야지

늘 내일로, 내일로 미룬
그렇게 밀린 어제와 오늘의
일을, 내 일을 해야지

어제의 일을
오늘의 일을 하고 나서
내일의 일을 해야지
내 일을 해야지

살(殺)해

해가 죽었다.
기어이 지고 말았다.

한 해가 가고 말았다.
기어이 죽었다.

늘 해를 늘 아무 의미 없이
늘 그렇듯 늘 죽여와놓고

왜 이제는, 이제서야
이제 와서는 그게 슬플까

죽어가는 해를
내 손으로 기어이 끊고서

살해를 애도하리라
살아온 해를 추모하리라

각설탕

말 한마디
체온 하나에
스르륵 녹아내려
너를 달게 만든다.

스르륵 녹아내려
너의 체온을 올리고
너에게 말 한마디를 더 한다.

각이 진 단단한 네모난 것을
네가 녹여주었으니

모든 것을 녹여
너를 달게 만든다.
너에게로 안겨 합쳐진다.

관광

구경하러 왔소
흥미로운 것을 보러 왔소
재미가 있다고 하여 왔소
두 눈으로 직접 보러 왔소

하루를 투자하여
그 하루로
몇 년을 살아보러 왔소

기대를 채우지 못해도 괜찮소
혼자라도 괜찮소
그냥 왔다는 것으로도 괜찮소
그것으로 됐소
먼발치라도 됐소

시간을 투자하여
그 시간으로
남은 시간을 살아보려 왔소
무언가 남겨보러 왔소

아무 의미가 없어도 괜찮소
어떠한 의도가 없어도 괜찮소

구걸

처음으로 부탁하겠다.
거절해도 할 수 없겠다만
마지막으로 구걸하겠다.

자존심을 버리고
못되게 떼를 쓰고
반쯤 화를 내고

마지막으로 남아달라고
처음 그 순간으로 봐달라고
구걸하겠다.

거절해도 할 수는 없겠다만
처음이자 마지막으로
진심으로 부탁하겠다.

대기

계속해서 기다렸다.
제자리에서 나무가 되어
알아주기를 기다렸다.
한자리에서 기둥이 되어
거듭해서 기다렸다.

이것이 욕심일지도 모르겠다.
이것이 헛된 기대일지도 모르겠다.
이것이 부질없는 일일지도 모르겠다.

거듭해서, 한자리에서, 제자리에서
계속해서 연습하며, 상상하며 대기하였다.

누군가 일으켜 세워줄 것을 기다리며
나무가 되어, 기둥이 되어 기다리다가

기회를 준다면, 시선을 준다면

얇게 온 첫눈처럼 녹아 사라질 것이다.
흔적조차 남기지 않고 녹아버릴 것이다.

권고사직

나는 생각조차 없었는데
퇴직을 권해
그제야 생각을 하고 나서
하염없이 눈물로 서명하고 나온다.

눈물을 닦고 문을 나서며
누군가가 묻거든

"지금 때마침
다했습니다.
마침 지금 막 이 순간
딱 마쳤습니다."
라고 대답해야지......

스트레칭

크게 자기 자신을 늘려
너와 단 1cm라도 가까워지려 한다.

어제는 닿지 않았으니
오늘은 혹시
내일은 혹시
모레는 혹시
글피는 혹시 모르니

열심히 자기 자신을 늘려
단 0.1cm라도 가까워지고자 한다.

마법처럼 닿을지도 모르니
글피를 위해
모레를 위해
내일을 위해
오늘도 팔을 뻗고 다리를 뻗는다.

서서히 나 자신을 늘려
너와 단 한순간이라도 닿고자 한다.

수묵화

무엇보다 검게
푸르름을 단 한 조각도 넣지 않고서

무엇보다 흐리게
선명함을 단 한순간도 넣지 않고서

봄부터 여름의 푸르름을
흑과 여백으로 그려낸다.

가을의 다채로움과
겨울의 쓸쓸함을
묵과 공백으로 그려낸다.

가장 단순한 색으로
가장 어려운 장면을 표현해놓으니
가장 상상력을 발휘하여
가장 편안하고 오래갈

그런 그림이 되었다
검은색과 하얀색만으로 그려낸
한 장의 수묵화가 되었다.

포식자

한 마리의 외로운 짐승이오
하나의 홀로 사는 짐승이로다

무리를 짓지 않는 짐승이오
무언가를 찾아다니는 짐승이로다

누군가를 해치는 짐승이오
누군가를 바라보는 짐승이로다

나는 너와 달라

홀로 지내며
무언가를 찾으며
너를 바라보다가
너를 해치고 마는

그런 짐승이오
그런 포식자로다

안개

눈앞을 넘어
오 리를 넘어
십 리를 넘어
백 리까지 가득 찬 안개다.

어떤 도사 하나가
얼마나 한이 생겼는지
얼마나 숨고 싶었는지
어떻게 만들었는지도 모를 안개다.

그런 안갯속에서
보이지 않는 길을 더듬어 걸어가며
그런대로 산다.

청각에 의지하여
보이지 않는 길을 귀로 걸어가며
그렇게들 산다.

보이지 않아
눈을 가리고
눈을 감고
보려고도 하지 않아
그렇게 안갯속에 갇혀 산다.

실제로는 아닐지도 모른다.
실낱같이 보일지도 모른다.

흐름

고독한 것은
원해서 고독한 것은 아니었을 것을

다만 흐름이 고독하여
홀로 남겨졌을 것을

혹은 흐름이 다급하여
따로 멀어져 갔을 것을

고독한 것은
처음부터 고독한 것은
아니었을 것을

갈대

끊임없이 흔들리지만
끊임없이 자라난다.

매사에 이쪽저쪽으로 기울어
스스로도 본인의 방향을 모르지만
끊임없이 키워간다.

실같이 연약하지만
거센 바람으로도
끝내지는 못한다.

끊임없는 흔들림에
끊임없이 휘둘리지만
애매한 방향에 서서
끊임없이 지킨다.

모두의 방향에 서서
다시 끊임없이 반복한다.

알약

하루에 하나씩 시간을 세며 잡아먹는다.
너를 비우는 만큼 나를 채운다.

나를 채우는 만큼 너를 삼킨다.
하루에 하나씩 날짜를 보며 욱여넣는다.

하루를 한 알로 채우며
한 알로 하루를 채우며

모든 시간 하루하루를
너와 함께 잡아먹는다.

길고 긴 하루하루를
너와 함께 채워 넣는다.

도마뱀

나의 꼬리를 서둘러 자르고
살기 위해 꿈틀거리는 모습이

내가 살아남은 건지
내가 꼬리가 되어 버려진 건지
내가 발 빠르게 도망간 건지
내가 꼬리가 되어 저항하는 건지

나의 몸을 서둘러 보내고
살기 위해 뛰어가는 모습이

내가 꼬리인 건지
내가 몸통인 건지
몸통이 옳은 것인지
꼬리가 옳은 것인지

내가 비겁한 것인지
내가 현명한 것인지

꿈틀거리는 꼬리를 버려두고
이 한 몸 살아서 돌아간 다음
자책하는 것이 옳은 것인지
자랑스러워하는 것이 옳은 것인지
혼란 속에서 몸과 꼬리를
구분하는 것이 맞는 것인지

아니면
구분할 필요가 없는 것인지

종이가방

힘들게 짐을 들어서
겨우 끊어지기 전에 도착했다.

노력한 끝에
결국 구겨져서 버려졌다,

버려진 끝에
결국 물에 잠겨졌다.

잠겨진 끝에
겨우 한 몸 녹였다.

녹여진 끝에
결국 다시 종이가 되었다.

된 끝에
겨우 하나의 가방이 되어

또다시 짐을 들고 또 한 번
끝까지 놓지 않을 것이다.

허리가 아파지고
어깨를 파고들고
온몸이 아파지고
온몸이 피곤해도

겨우 목적지에 도착하기 위해
결코 내려놓지 않을 것이다.

느낌

보고
듣고
말하고
맛보고
맡고
느끼고

그리고

느꼈으니 잡고
맡았으니 담고
맛봤으니 삼키고
말했으니 적고
들었으니 기억하고
보았으니 생각하고

그리고

생각했으니 비우고
기억했으니 망각하고
적었으니 수정하고
삼켰으니 뱉어 남기고
담았으니 꺼내 놓고
느꼈으니 알고 있고

그리고
알고 있으니
또 하루를 배워 나가고.

지금

지금이다.
놓쳐서는 안 된다.

찰나의 시간이다.
그래도 알아볼 수 있다.

잡아야 한다.
손을 뻗고 봐야 한다.

이번만큼은
반드시 꼭 얻어야 한다.

지금 이 순간
바로 이곳에서
지나쳐가는 것을
낚아채서

지금 이 순간
지금 이 현재 안으로
넣어야 한다.
그래야만 한다.

귓속말

너에게만 말한다.
아무도 듣지 못할 말을
단지 너에게만 말했다.

평생 비밀로 할 거라고 믿고
너와 평생 함께 하기 위해
오로지 너에게만 말했다.

아무에게도 말하지 않고
나와 너 단둘만 아는 말이다.

내가 평생 가져갈
너라는 존재에게만 말했다.

나를 온전히 받아줄
내가 온전히 받아줄 수 있는
너에게만 말한다.
너에게만 비밀로 말했다.

꽃다발

몇 개의 괜찮은 구절을 꺾어
잘 다듬고 물을 주어 모은 뒤

당신에게 드립니다.
고르고 고른
생각하고 엄선한

몇 개의 가장 아름다운 단어를 모아
잘 붙이고, 포장하여 모은 뒤

고르고 고른
생각하고 엄선한
당신에게 드립니다

열대

추웠기에
어떻게든 찾아서 내려가고자 한다.

차가웠기에
어쨌든 간 찾아내고자 한다.

점점 차오르는
이 한기를 참지 못해

따뜻한 온기를 찾아
더운 열대를 찾고자 한다.

저 먼 남쪽
해가 강하게 내리치고
야자수가 고개를 드는 곳으로

그곳
열대의 곳을 향해
가고자 한다.

춤

나는 노래를 못하니
그저 하나의 몸짓을 부릴 뿐이다.

나는 연설을 못하니
그저 하나의 몸부림을 칠 뿐이다.

많은 사람들의 시선 속에서
그 시선을 참아내면서

노래도 연설도 아닌
어떠한 소리도 나지 않는
몸부림을, 몸짓을, 춤을 출 뿐이다.

몸놀림에 지쳐 쓰러질 때까지
그러고 나서 다시 일어나기 전까지
계속 거듭하여 추고 있을 뿐이다.

한 명이 하나의 춤을
각자 하나씩의 춤을
추기 전까지....

분실

잃어버렸다.
하려고는 했던 것 같은데
아마 부족했나 보다.
신경을 충분히 쓰지 못했나 보다.
관심을 많이 주지 못했나 보다.

내 딴의 정성이 부족하여
결국 떠나갔나 보다.
기어이 사라졌나 보다.
누군가를 따라갔나 보다.

아니면
쌍방의 암묵적인 합의로 인해
너와 내가 서로
잊어버렸나 보다.

가뭄

불 냄새가 난다.
화로의 냄새가 난다.

온 물이 마르고
온 물이 줄었다.

좁아지는 웅덩이에 모인
작은 물고기가 팔딱거린다.

곳곳에 스며드는 더운 김에
모두들 가쁜 숨을 내쉰다.

오직 비와 눈만을 기다리며
아무것도 하지 못하고
그저 버티기만 하는 낮이여

우리의 벌이로다.
불에서 자란 우리가
불을 아끼다 못해
불로 돌아가려 애쓰는

우리의 불이로다.

밤바다

한밤중
까만 잉크색의 바다를 퍼서
그것으로 나의 글을 쓸 테요

한밤중
황금색의 물감이 퍼진 달을 퍼서
그것으로 제목을 쓸 테요

물결에 떠내려온
서러움 하나, 슬픔 두 개

파도에 잠겨버린
추억 하나, 그리움 두 개

밀려오는 족족 주워서
그것으로 내용을 쓸 테요

작가는 바다
재료도 바다이니
이 시는 바다에 오로지 쓸 테요
아름다움 하나, 희미한 영감 두 개를
바다에 오로지 떠내려 보낼 테요

기쁜 마음의 끝

안녕하세요. 작가 서어진입니다. 항상 꾸준하려고 노력하였는데, 다행스럽게도 그 노력이 밝게 빛나 올해에도 시집 한권을 낼 수 있게 되었습니다.

매번 그랬지만 시를 쓰는 동안은 참 많은 일을 겪게 되는 것 같습니다. 여러 감정을 느끼고, 새로운 시각으로 이것 저것을 보고, 때로는 힘들게 쓴 글을 지우기도 합니다.

그 중 유독 이 시집에 들어갈 시를 쓰면서 가장 많이 느꼈던 감정은 기쁨이었던 것 같습니다. 어떠한 장소를 보며, 어떠한 사물을 보며, 어떠한 생각을 하면서 우리는 항상 행복과 즐거움을 찾으려고 노력한다고 생각합니다. 많은 여행이 그렇고, 많은 물건들이 그렇고, 많은 놀이와 많은 콘텐츠들이 다 소소한 즐거움을 위한다고 생각합니다. 그 아주 소소한 것부터 아주 큰 기쁜 감정들을 모으고 깊게 눌러서 작성한 책이 바로 이 책입니다.

당신의 하루에도 기쁨이 가득했으면 좋겠고, 그리고 그 기쁜 감정이 깊어져 심심(心深)의 감정으로 가득 차시기를 바랍니다.

Ending credit

<작가>
서어진

<출판사>
주식회사 부크크

<연재장소>
문화의 시작 조아라

<소속>
문예지 문학고을
문예지 열린동해문학

지금까지 읽어주신 분들에게 감사의 인사를 올립니다.